Te amo
Porque desde que lleg
Iluminaste con una
Porque cada vez que
problemas desaparecen
mucho más en la vida. Eres una
estrella en mi vida. Gracias por existir,
y por ser el bebé más alegre que
TANTO AMO
♡ TU MADRINA MARIE ♡
TE AMO MARTÍN

Jutta Richter • Henrike Wilson

Todo lo que deseo para ti

Lóguez

Por la noche, cuando duermes
y la casa se encuentra en silencio,

por la noche, cuando duermes,
me imagino tu vida.

Y deseo para ti, ser humano,
que seas alegre,
que si llega la preocupación,
no olvides nunca tu felicidad.

Que encuentres árboles
por los que puedas trepar,

que seas fuerte y valiente,
sin temores ni miedo.

Que el agua fluya para ti,
clara, transparente y limpia.

Que tengas días de verano
plenos de sol.

Que tu pan sepa a pastel,
dulce, caliente y blando,
y que puedas compartirlo
porque así serás rico.

Y deseo para ti, ser humano,
lecho, silla y casa.

Que cierres la puerta
al fantasma de la noche.

Pero que siempre esté
abierta para los amigos,
porque si tienes buenos amigos,
nunca estarás solo.

Y que tu risa, niño cantarín,
suene como plata.
Quiero cantar contigo
todas las canciones que yo sé.

Catorce ángeles te deseo,
que guíen seguros tus pasos,

que te acompañen por el mundo
a través de montañas y valles.

Finalmente, deseo paz para ti,
amado nuevo ser humano,
bendiciones sobre ti y nosotros.
Sin tempestades, suave viento.

3ª edición: mayo 2015
Título original: *All das wünsch ich dir*
Traducción de L. Rodríguez López
© 2007 Sanssouci im Carl Hanser Verlag München Wien
© para España y el español: Lóguez Ediciones 2012
Ctra. de Madrid, 128. 37900 Santa Marta de Tormes (Salamanca)
ISBN: 978-84-96646-26-1
Depósito Legal: S. 666-2012
Impreso en España-Printed in Spain
Grafo, S.A.

www.loguezediciones.es